¡TARJETA ROJA A LA VIOLENCIA!

Título original: *La violence, carton rouge!*

Adaptación: Mariló Caballer Gil
Corrección de estilo: Belén Cabal

Editado por acuerdo con Actes Sud
Texto © 1998 Virginie Lou
Ilustraciones © 1998 Serge Ceccarelli

Primera edición en lengua castellana para todo el mundo:
© 2004 Ediciones Serres, S. L.
Muntaner, 391 – 08021 – Barcelona

www.edicioneserres.com

Fotocomposición: Editor Service, S. L.

ISBN: 84-8488-134-2

Impreso en la U. E. - n° L90927B

El árbol de la vida

VIRGINIE LOU

¡TARJETA ROJA A LA **VIOLENCIA!**

Ilustraciones de
SERGE CECCARELLI

Prólogo de JEAN-PIERRE ROSENCZVEIG
Epílogo de JEAN-PIERRE BALDUYCK

SerreS

Índice

LA VIOLENCIA NO ES INEVITABLE

Quizá nuestro país tenga muchísimos defectos porque dedicamos demasiado tiempo a quejarnos de todo. Sin embargo, en la última década del siglo XX, adquirimos un bien inestimable: las guerras que, con frecuencia, hicieron estragos en la Europa occidental, se habían acabado. ¿Cómo se había podido tener fe en el futuro hasta entonces? Para que seamos conscientes de este progreso, basta con que abramos los ojos hacia lo que ocurre bajo otros cielos. Con la seguridad que nosotros hemos alcanzado, resulta más difícil soportar –y con razón– otros tipos de violencia cotidiana como la inseguridad que atenta a los bienes y las personas a causa de la delincuencia, la violencia de las condiciones de vida que atañen a los más desfavorecidos o a cualquiera de nosotros, desde la contaminación física o acústica, a la degradación de la calidad de vida. También es sorprendente la violencia causada por la falta de respeto a los valores humanos; entonces se habla, en el mejor de los casos, de falta de civismo.

Cuando vivimos en una sociedad denominada de «la información», no se pueden aceptar estos tipos de violencia, ni tampoco otros.

No se trata de que todos estemos de acuerdo en todo, pero sí que se debe hacer un esfuerzo para que las oposiciones, los conflictos o las contradicciones se gestionen siguiendo las reglas del juego pactadas de antemano, como el diálogo o como el voto que aspira a que la mayoría prevalezca sobre la minoría.

Es decir, actuar de forma democrática.

Aún estamos lejos de conseguir ese objetivo. Los jóvenes y los niños son objeto de las críticas más duras: no respetan nada, agreden verbalmente, rompen y deterioran los materiales; sobre todo los jóvenes, y los no tan jóvenes, no dudan en ponerse violentos.

«¡Señor juez, me puso muy mala cara, y entonces le pegué!»

De hecho, muchos jóvenes actúan violentamente porque no tienen otra forma de comunicación. Desde pequeños, algunos de ellos, al no haber sido protegidos y ayudados por los adultos, han aprendido a defenderse por sí solos. Con frecuencia, han entrado en otro mundo: el de la calle, con sus códigos y sus cabecillas.

Esto se ve ya en niños de siete u ocho años; entre los doce o los trece, tienen la omnipotencia de los que no esperan nada de la vida, ni de los adultos ni de una sociedad que les ha decepcionado por haberles privado de su infancia; es decir, de un periodo de irresponsabilidad.

Son débiles pero se hacen los duros. Algunas veces son peligrosos porque viven en un mundo irreal. Si quieren algo, lo toman; si se les niega, agreden, sobre todo si son muchos y van armados. En verdad, se trata de críos a los que hay que reconducir a su lugar de niños, del que nunca deberían haber salido. Practican un tipo de terrorismo que se ha de combatir como tal, sin dar marcha atrás y sin ceder a los chantajes.

Será difícil que comprendan que la ley –es decir, la regla que se aplica a todo el mundo– también debe ser su ley; que esta ley que les restringe libertades –mi libertad termina donde empieza la del otro– es también una ley que les garantiza derechos fundamentales. A menudo se dice que se debe recordar la ley a los jóvenes, sin dudar en sancionarlos por haberla violado; pero comencemos por devolverles la justicia, porque esos jóvenes son impetuosos. Con razón, pues en muchas ocasiones sus condiciones de vida son duras, simplemente violentas. No se trata de una justificación, pero sí de un elemento de comprensión. Es necesario, pues, aplicar la «ley del más fuerte». Son los más fuertes –los adultos– quienes tienen que dirigir el diálogo y marcarles el respeto (¡cuidado con el tuteo!); los niños y los jóvenes no se sentirán engañados si, tras la firmeza y la autoridad, encuentran sinceridad, coherencia y justicia.

En resumen, la violencia no es inevitable; no basta con saber curarla, hay que prevenirla. Para ello, sólo existe un camino: ser justo; es decir, que cada uno reconozca sus derechos y sus deberes.

JEAN-PIERRE ROSENCZVEIG
*Magistrado, presidente del Tribunal
de Menores de Bobigny – París / Francia*

Hoy en día,
EN UNA CIUDAD CUALQUIERA

La historia que cuentan –cada uno a su manera– Jean-Pierre, Aminata y Gaspard ocurre en París, pero podría ocurrir en cualquier ciudad de Europa. En una de esas ciudades construidas a toda velocidad, sin pensar en que los hombres, para vivir, no sólo tienen la necesidad de un techo sobre sus cabezas, sino también la de lugares donde encontrarse, conocer a los vecinos y ayudarse mutuamente. En las ciudades de hoy en día, hay gran cantidad de «solitarios», muchas personas solas que terminan por creer que, si la palabra no les sirve, tienen que utilizar la fuerza. Alrededor de la ciudad donde ocurre esta historia, está el mundo, con sus exigencias repetidas hasta la saciedad: «hay que ser competitivo», «la rivalidad es muy dura», «hay que luchar, y ganar a los otros para existir»; fórmulas que han contaminado los espíritus de los padres y de los hijos.
La historia de Jean-Pierre, Aminata y Gaspard podría suceder, pues, en cualquier lugar; pero no en cualquier época: sólo en la actualidad, en este siglo, en el que la violencia de unos contra otros se ha convertido en una moneda de uso corriente, una moneda legal.
Jean-Pierre, Aminata y Gaspard son como los demás niños. Empiezan el equivalente a primero de la ESO, viven una aventura corriente a la vez que angustiosa: el paso de la

infancia a la preadolescencia, de la confianza al miedo de un mundo que no les ofrece otras certezas que las del peligro. Sin embargo, estos niños «como los demás» son muy diferentes los unos de los otros.

Jean-Pierre: hijo de una pareja exigente y absorbida por su trabajo, ha vivido siempre con la seguridad de aquellos a quienes no les falta nada, aunque se sienta perdido y solo.

Aminata: al contrario, está llena de complejos, como muchas niñas en esa etapa de la adolescencia. Su madre está cerca de ella, escuchándola, pero también sumergida en sus problemas cotidianos. Y no está su papá. Se vive mal sin papá.

Gaspard: está seguro de sí mismo, es bastante equilibrado. Quiere sacar buenas notas en la escuela, y no lo hace mal del todo. Pero la vida del colegio va demasiado rápida para él. O, a lo mejor, le falta sensatez. «¿Por qué eres incapaz de pensar fuera de la clase de mates?» –le pregunta Aminata.

Jean-Pierre, Aminata y Gaspard encarnan tres caracteres particulares. Ellos no comparten los mismos principios con el mundo, con los otros, pero los tres están buscando soluciones para ser felices, aunque a veces parezca que lo hacen todo al revés. Ninguno de ellos es perfecto, evidentemente.

A mediados del siglo XX, un hombre de teatro argentino, Augusto Boal, inventó un original tipo de teatro en el que las obras no se representaban, sino que se inventaban a medida que se iban desarrollando, gracias a la intervención de los espectadores.

La situación en Argentina era entonces mucho peor que la actual. Las personas, sobre todo los pobres, sufrían terriblemente y, como todo el mundo, buscaban los medios para salir adelante.

Augusto presentaba un problema sacado de una situación cotidiana, daba algunas indicaciones sobre los personajes básicos, y los actores empezaban a actuar.

Pero los espectadores no aceptaban la representación sin más, sino que la analizaban. Decían: «Si yo fuera tal personaje, lo que yo haría sería...». En aquel momento, un espectador más atrevido le daba un toque al actor en la espalda y lo reemplazaba. Otros espectadores, viendo el giro que iban tomando los acontecimientos gracias a esta nueva interpretación, intervenían hasta que habían sido planteadas todas las posibles soluciones para resolver el problema.

Actualmente, nuestra pregunta es: «¿Cómo convivir en un colegio: un lugar hecho para estudiar en paz, pero en el que la violencia ha conseguido introducirse y, en ocasiones, reinar?».

En el texto que vais a leer, Jean-Pierre, Aminata y Gaspard intentan aportar sus propias respuestas.

Pero, sin lugar a dudas, podrían existir otras reacciones, otras palabras, otras miradas. ¡Y, por supuesto, existen otras soluciones diferentes a las que aquí se proponen! Puede que éstas parezcan una utopía, pero yo he visto como se cumplían en un colegio de la periferia de París. Así que, es... posible.

Es decir, hay miles de soluciones para un mismo problema al igual que existen miles de formas de plantear ese problema. Está en vuestras manos el juzgar y el inventar vuestras propias soluciones, allá donde vivís, teniendo en cuenta quiénes sois...

CAPÍTULO 1

JEAN-PIERRE
O LA MISIÓN IMPOSIBLE

«Hincando los codos. Aprobar hincando los codos...».
¿Cuántas veces me lo ha repetido papá desde que aceptaron
mi matrícula en el Instituto Tilleuls?
Papá quería que fuera al Jean-Macé. Dice que sólo existe un
buen instituto: el Jean-Macé. Del Tilleuls no quiere ni oír
hablar. Sin duda, será porque de ese lugar ha oído hablar
demasiado, incluso en los periódicos, un día en que los
alumnos intentaron quemar el gimnasio... ¡Uf, un montón
de historias! Robos, peleas... «¡Una escuela para
golfos!» –repite papá. Ante todo, él quería
que pasara este primer curso en
el Jean-Macé. Pero el límite
entre el Jean-Macé y el Tilleuls
está en el asfalto de mi calle.
Lado par, Jean-Macé. Lado
impar, Tilleuls. Y vivimos
en el 37... ¡Imposible ir
al Jean-Macé, imposible
conseguir una derogación!
¡Mi viejo tiene un ataque
de rabia! No soporta para
nada que las cosas no
sucedan como él había
previsto.

Y desde que supo que yo iría al Tilleuls, lo tengo encima durante las veinticuatro horas del día.

–¡Quiero verte entre los cinco primeros, y en todas las asignaturas! Ya puedes poner interés en conseguirlo, si no ¡vas a tener que vértelas conmigo! ¡Tendrás que conseguirlo, hincando los codos, como yo!

¿De qué me servirá para las mates hincar los codos?

Los puños, de acuerdo, sí que sirven. No voy a dejar que me peguen. Pero intenta hacérselo entender a papá...

¿Cómo voy a poder estar entre los cinco primeros si en el cole, el año pasado, estaba entre los cinco últimos? Entonces, eso a papá le importaba un bledo. Para él, el colegio de primaria era una guardería para bebés grandes. Ni siquiera conocía el nombre de mis maestras. Jamás vino a verme a una fiesta de fin de curso.

De repente, esta historia del instituto le ha trastornado la cabeza. ¡Aprobar, aprobar! ¡Sólo habla de eso! Y de que él nunca tuvo la suerte de estudiar y de que ya puedo luchar para conseguirlo, si no...

¡Ok, Ok! No veo cómo voy a poder estar entre los cinco

primeros... tanto si me pega una paliza, como ha prometido si no lo consigo, como si no lo hace. Además, los cinco primeros tienen cara de niñatos. En general, las cinco primeras. Normal, las maestras prefieren a las chicas. No soportan a los chicos. Excepto si son como Antonio, con gafas, muy educados, muy obedientes... Ese tío sí que me pone nervioso. Ya verás este curso, ¡será su fiesta! Allí ya no tendrá a la maestra que lo mime y repita todo el rato que tenemos que ser como él. ¿Como él? Ya me estoy viendo con las gafas y todo el día con la manita levantada... ¡Verás la que le espera! El primer día de clase iremos a por él, Kévin y yo, y ya no la levantará más.

¡Qué lástima que Kévin no esté en mi clase! Nos reiríamos...
no nos aburriríamos... Y tampoco está mal tener un
compañero fortachón. Y uno de dos cursos superior, porque
atemoriza a los pequeños. Con él no corro ningún riesgo si
hay peleas. De todos modos, como soy muy alto, tampoco
corro ningún riesgo en las peleas...
No me dan miedo, los del Tilleuls. Tilleuls, Jean-Macé,
¡da igual! Siempre tendremos media docena de profes
a la espalda. Con una sola maestra ya estaba harto...
¡Y mañana, comienzan las clases!

CAPÍTULO 2

AMINATA
O EL MIEDO

De todos modos, eso es cosa de chicos.

Así que, como dice mamá, basta con mantenerse bien lejos de los chicos, no hablarles, no quedarse nunca con ellos en la calle, y no habrá problemas.

El problema de Elsa es que está enamorada de Gaspard. Y, con Gaspard, está su banda. Y, cuando los chicos están con su banda, ya no parecen los mismos. Se vuelven locos. Hacen lo primero que les pasa por la cabeza. Arman jaleo en clase, empujan a los otros en los pasillos, insultan a todo el mundo...

Un día del curso pasado, corrían todos gritando por mi lado.

Entre la carrera y los empujones, a Loïc se le caía la mochila, y de un golpe se la subió a la espalda, justo cuando pasaba por mi lado... ¡Paf! La hebilla de su mochila me dio de lleno en el ojo.

Aunque yo empecé a gritar, Loïc ni siquiera se paró.
¡Simplemente, no me vio! Al día siguiente, cuando
Elsa fue a decirle que me había puesto el ojo morado con
su mochila, ¿acaso se disculpó? ¡Ni hablar! Se partió de risa.
Porque claro, mira que gracia: una negra con un ojo
morado... Le dije a Elsa que se enamorara de otro chico o,
mejor, que le pidiera a Gaspard que dejara la banda.
Además, a su edad, puede vivir perfectamente sin estar
enamorada. Que va a la escuela para aprender y punto.
Eso es lo que me dice mamá.
Y creo que mamá tiene razón.
¿Acaso yo estoy enamorada?
¡No es el momento!
Me pregunto cómo se hace para pensar al mismo tiempo
en las clases, los deberes y el amor...
A lo mejor no tienen tanto miedo a suspender como yo.
Si existiera un puesto de honor por el miedo a suspender
yo lo ganaría todos los trimestres. Elsa se burla de mí.
Ella no tiene miedo. ¿Una mala nota? ¡Puaf! Ya aprobará la
próxima vez. Yo no aprobaría nunca. Si suspendo una vez,
suspendo todos los exámenes, suspendo siempre.
Como mamá...
En nuestro país, mamá tenía títulos: era doctora. Pero aquí
nunca ha podido trabajar como doctora, porque sus títulos
no valen. Y cuando quiso convalidarlos, suspendió. Varias
veces: suspendida.
Entonces comenzó a tener miedo... por ella, por mí, por las
facturas, la electricidad, el alquiler...
Miedo por todo.
También por miedo, Gaspard ha creado su banda. Como es
tan bajito, los grandes siempre le pegaban, incluso cuando
iba a la guardería.
Hay otros que también son bajitos: Ludwig, por ejemplo.

Ludwig no ha formado una banda. Se ha buscado a un amigo fortachón para que lo defienda. Pero ¡Gaspard es tan orgulloso! ¡Jamás habría ido a pedirle a un grandullón que lo defendiera! No, él ha hecho creer a Jo, Loïc, Victor y Ali que juntos serían los más fuertes del colegio, que serían como *Los cinco magníficos* de la serie de la tele, que son los justicieros de su barrio y que incluso atacan a los adultos –cuando éstos son muy malos, por supuesto–. Además, Jo, Loïc, Victor y Ali se creían de verdad que eran los justicieros del colegio. Así que crearon la banda; como fue una idea de

Gaspard, éste se convirtió en el jefe, sin discusión alguna. Cuando le conté esta historia a mamá, le entró uno de sus ataques de nervios: ¡que no son los niños quienes hacen la justicia, que existen las leyes y los jueces, que sólo los lobos van a cazar en banda! ¡Que parecía un serial tan malo que hacía llorar y, además, era peligroso! Que por culpa de barbaridades de ese tipo, niños buenos como Gaspard se convertían en golfos y se permitían el lujo de impartir la ley, y ni siquiera ellos sabían qué era la ley.

También dijo un montón de cosas sobre los estadounidenses y sus teleseries; de eso no entendí nada, excepto que ese día mamá desconectó la tele.
En ese momento, me puse a llorar: ¿me castigaba a mí por culpa de las animaladas de Gaspard?
¡Menuda injusticia!
Y, desde ese día, mamá me lleva al cine lo más a menudo posible, ya que ella hace también de acomodadora, aparte de mujer de la limpieza. Por último, me ha apuntado a la biblioteca, y hemos empezado a vivir las dos sin tele. Nos hemos olvidado de la tele...

Lo que resulta un poco extraño es que ahora en el patio no entiendo nada. Los otros no hablan nada más que de la tele y las teleseries. Me da la impresión de que vivo en otro planeta. A lo mejor, puede que sí que venga de otro planeta, porque soy la única que dice que tiene miedo.

Sobre todo por culpa de las bandas. Hay un montón de bandas en el instituto. En la clase de la hermana de Elsa, los chicos han hecho una banda. No paran de fastidiar a las chicas, de empujarlas, de meterse con ellas. Cuando pasan, las insultan para reírse... Es decir, ellos se ríen.

Pero hay algo peor. La hermana de Elsa cuenta que las bandas fastidian a las nuevas, incluso les quitan los zapatos si son de marca...

Un chico de la clase, que se negó a entrar en la banda, volvió a su casa en calzoncillos. Después de eso, nunca regresó al cole. No podía soportarlo.

Mamá tiene una solución, sólo una: no juntarse nunca con los chicos.

¿Cómo es posible no juntarse nunca con los chicos cuando entre todos nos rodean y no nos dejan pasar? ¡Mamá, de eso, no se entera!

También dice que no hay que hacer caso de los chismes.
¡Vale! ¿Pero es ella la que va a empezar en el Tilleuls, la que
se va a encontrar con todas esas clases de los cursos
superiores y con todas las bandas que desfilan por el patio?
Elsa no hace ni caso, no tiene miedo de las bandas.
O en cualquier caso, está segura de que la de Gaspard va a
protegerla. O su padre, que es cirujano. ¿Alguien atacaría
a la hija de un cirujano? Pero mamá, con sus trabajos de
limpieza, sus propinas del cine y sus casas de comida de la
caridad, incluso con sus títulos, no asusta a nadie. Puede
que sea muy fuerte, pero no le da miedo a nadie. Es así...

CAPÍTULO 3

GASPARD
O LA «LIBERTAD»

Pero bueno, ¿qué se ha creído ese tipo?

¡Yo cruzo por donde quiero y cuando quiero! Soy libre, ¿no?

... ¿Y encima ese payaso baja su ventanilla para insultarme?
Tiene suerte de que no me haya fijado en la matrícula del
coche. Lo habría encontrado y le habría pinchado las ruedas...
No cabe la menor duda, es feo este instituto. Prefería el
colegio. Los institutos siempre son feos. Las guarderías suelen
ser bonitas, los colegios también, pero los institutos...

¡Guay! ¡Ahí están todos los colegas!

–¡Hola! ¡Hola! ¡Hola Jo! Tienes cara de dormido.

–Me quedé viendo la peli de la tele. ¿Tú no?

–¿La noche antes de empezar las clases? ¡Tú no conoces a mi
padre! Ni se me pasa por la cabeza la idea de hacer bromas
con los horarios. Alguien que conduce trenes, es lógico que...

–¿Qué pasa?, ¿se ha tragado un despertador?

–¡Él es un despertador! A las nueve, en la cama. Y no a las nueve y un minuto. A las nueve y media, se apaga la luz, aunque esté en la mitad de una página. ¿De qué iba la película?

–¡Fantástica! Es la historia de un sabio que ha inventado un robot para matar a todas las mujeres: jóvenes, viejas... sobre todo a las viejas, era muy divertido... Se las veía agitar las piernas en el aire, con el vientre abierto...

–¡Ah! ¿En serio que eso te gusta?

–¡Es genial! ¡Y a mi padre le encanta! ¡Nos reímos un montón!

–¿Os reísteis?

–¡Claro que sí! Sólo es una película. ¿Te da miedo?

–Para nada. Miedo, para nada. No me gusta. Me parece asqueroso. ¿Por qué mataba a las mujeres el robot?

–Eso no lo entendí. Una historia con su madre... Para vengarse de su madre... Lo que a mí me gusta son los efectos especiales. Mi padre colecciona cine *gore*. Tiene centenares de cintas de vídeo.

–En mi casa no vemos esas cosas. A mí, hasta la carne un poco cruda me da ganas de vomitar...

–¡Eh, primero B! ¡Somos nosotros! Nos están llamando.

–¿Cómo lo sabes?

–He mirado la lista.

–Y ¿por qué no estamos en primero A?

–Son los que hacen alemán.

–Claro, ¿desde el principio ya se sabe que los que quieren hacer alemán son mejores que los que hacen inglés?

–Gaspard, no empieces de nuevo a quejarte y a ver injusticias por todas partes. Los de primero A hacen alemán y los otros hacen inglés. ¡Eh! ¡Hola, Ali! ¡Ya vuelves a llegar tarde!

–Me he encontrado con Nicolás. Él va al Jean-Macé. ¿Sabéis qué me ha dicho?

–No. ¿Qué?

–Que hoy los mayores de su escuela vendrán a atacarnos.

–¿Qué dices? Eso son cuentos... Para empezar, los mayores ni siquiera han entrado aún en clase.

–Sí. Allí, el curso empieza por la tarde y, después, vendrán aquí y lo romperán todo.

–¡Anda ya! Me estás vacilando.

–Tú verás... Nicolás me ha dicho que ya lo hicieron el año pasado. Rompieron el cobertizo de las bicis, rayaron las motos, pincharon las ruedas y muchas cosas más. Y la prueba de que no te estoy mintiendo es que hay un coche de la policía en la esquina de la calle. Estoy seguro de que los han avisado y están esperando.

–¡Si tocan mi bicicleta, se van a enterar! Mi padre les romperá la cara.

–¡Chis! ¡Callaos! Parece que no está a gusto, la tía.

–¡Anda! Jean-Pierre ya ha dado la nota. Parece que su padre va a pegarle una paliza si no está entre los cinco primeros...

–¡Chis! ¡La profe nos está mirando, con sus dientes de conejo y sus gafas!

CAPÍTULO 4

JEAN-PIERRE
O «EL ODIO»

Mira, una bolita de tinta para el payaso de Gaspard. Eso le
enseñará a contestar. ¡Él siempre con la mano levantada!
¿Se cree que es Antonio? ¡Chupaculos!
7 veces 111, ¡yo qué sé! ¡No voy a romperme la cabeza con
eso! Para algo existen las calculadoras, ¿no?
Y el otro sádico: «Jean-Pierre, ¿ni siquiera conoces las reglas
elementales del cálculo mental?».
¡Ese tío me toma por tonto! ¡Vas a ver cómo este subnormal
te hunde la vida!
¡Toma ya! ¡Plaf! ¡Justo en la espalda, buena puntería!
No te has enterado, pero ya verás la cara de tu madre cuando
vea la mancha en tu camiseta. ¡Ah! Jo lo ha visto. ¡Te puedes
girar hacia todas las direcciones, querido, demasiado tarde!
Pero también tú vas a tener una.
Eso te enseñará a no espiar.
–Gaspard y Joaquim, ¿se
puede saber qué es lo
que os distrae tanto?
–Alguien nos tira
bolitas de tinta,
señor. Gaspard
tiene una mancha
enorme en la
camiseta.

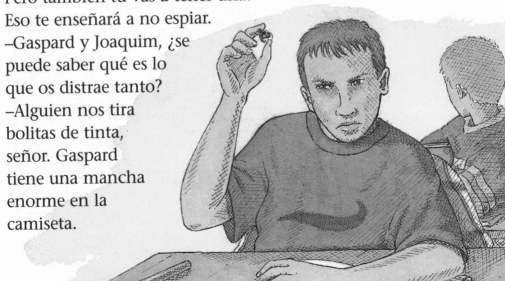

–¿Quién ha sido? Estoy esperando a que aparezca el responsable...

¡Bien, pues puedes sentarte a esperar, viejo sádico! Si crees que me asustas con tus ojos de vaca, que sepas que no tengo ningún miedo y que aún no has visto nada.

–Señor, señor, ¿podríamos abrir la ventana? Alguien se ha... Esto apesta, ¿podemos abrir?

–¿Y eso es motivo de risa? ¡Callaos! ¡Callaos!
Ya puedes gritar, pero me extrañaría que con eso
consiguieras que se callen.
Hasta las chicas se ríen. ¡Bravo!
–¡Callaos! ¡Si no, os pondré una hora de castigo a todos!
¿Vais a callaros?
¡Y la loca que se cae de la silla! ¿Quién se la ha quitado?
Y se pone a llorar. ¡Genial! Pobre Aminata, está
completamente trastornada. ¿Por una hora de castigo se
pone así? Para colmo, el otro sádico ya no puede más. ¡Va a
reventar, seguro! ¡Anda! ¿Un petardo? ¿Quién lo ha tirado?
¿Julien? Y Christophe está preparando otro. ¿Dónde tengo
las hojas? En la carpeta de sociales. He comprado un
paquete de cincuenta, tengo suficiente material. Basta con
esperar a que mire hacia el otro lado... Es imposible que
tenga los ojos en todas partes...
–¡Jean-Pierre Bertrand, tres horas de castigo! ¡Julien Riboire
y Christophe Amery, lo mismo! Y me traeréis este parte
firmado por vuestros padres.

¿Obedecen?

¡Qué cobardes!

Podrían haber continuado, le habríamos puesto la cabeza del revés al profe. Sólo habría tenido que ponerse en huelga para quejarse, ya que, según papá, siempre están en huelga. Durante la huelga, habría encontrado la paz. Pero los otros son bastante gallinas. Basta con un grito para que todo el mundo se acobarde...

Pero si el otro idiota piensa que le voy a hacer firmar esto a mi padre, se equivoca. Hace años que sé falsificar su firma, así que...

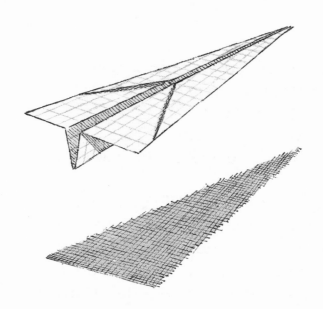

AMINATA
O LA VIOLENCIA DE LAS PALABRAS

No debería haber desayunado. ¿Por qué mamá piensa que el desayuno es tan importante? ¡Sabe perfectamente que siempre me sienta mal! Dice que es porque no tengo la conciencia tranquila.

Pero ¿por qué no tendré la conciencia tranquila? ¿De qué me he olvidado? Seguro que me he olvidado de algo...

¿Algo de la lista? No, mamá lo ha comprobado todo...

¡La carpeta de sociales!

No hemos encontrado la que el profe quería. Pero yo no tengo la culpa de que en el supermercado no esté la que quiere el profe.

Esta mañana ¿tengo sociales? ¿Dónde he dejado la agenda?

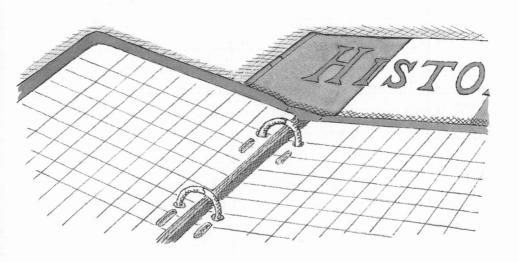

Ahora no me acuerdo de nada... Sin embargo, me lo había aprendido de memoria. ¡Lo sabía, lo sabía!

Y se me ha olvidado todo, hasta dónde la he guardado. Está aquí, en este bolsillo...

Voy a vomitar. No tendría que haber comido esta mañ...

¿La negra? ¿Que se aparte la negra? ¿Por qué me dice eso este tío? ¡Ni siquiera lo conozco! Nunca nadie me ha...

¡Y tenía suficiente espacio para pasar! ¡No ve que me había parado para buscar en mi mochila! Que se aparte la... Nunca, nunca nadie me ha...

–Aminata ¿qué te pasa? ¿Estás llorando?

–Me ha dicho... me ha dicho que...

–¿Quién? ¿Qué? ¿Qué te ha dicho?

–Aquel grandullón, de la cazadora *bombers*. «Que se aparte la...».

–¿La qué? ¡Pero habla! ¿Quieres un *kleenex*?

–Sí... Me ha dicho «la negra».

–¿Qué? Pero ¿están todos locos o qué?

–Elsa, quiero volver a mi casa. Tengo ganas de vomitar.

–Ven conmigo. El que te ha dicho eso es un imbécil. Olvídalo. No vas a ponerte enferma. Si no, estarás siempre enferma, porque aquí hay muchos imbéciles.

–Te estás burlando de mí. No te pueden tratar como...

–¿Qué estás diciendo? ¿Te he abandonado yo alguna vez? Voy a contárselo a Gaspard. Ya verás lo que él y su banda le hacen a ese grandullón de la *bombers*...

–¡Ni se te ocurra! Elsa, ¡ni se te ocurra! A mi madre no le gustaría nada. No soporta las bandas, y aún menos a los chicos que imponen la ley con su banda.

–Pero ¿por qué? Te ha insultado.

–Déjalo. Ya estoy mejor. Tengo miedo de salir al patio. ¿Vienes conmigo?

–Claro que sí. Pero, de todos modos, quiero contárselo a Gaspard.

–No, Elsa, no. Eso me da más miedo todavía.

–¡Mira que puedes llegar a ser miedica! ¡Va! No te pondrás a llorar otra vez... La verdad, últimamente no se te puede decir nada...

–¿Esta mañana tenemos sociales? Es que no tengo la carpeta...

Tenemos sociales...

¡Ah, bastaría con que pudiera vomitar! Aquí hay demasiada gente. Esto es demasiado grande. ¡Bastaría con que pudiera ser rubia y blanca, como Elsa! Bastaría con que pudiera estar en mi casa, con mamá...

CAPÍTULO 6

GASPARD
O LA LEY DEL TALIÓN

–Sé dónde vive. Somos cinco. Lo pillamos detrás de la panadería y le damos una buena paliza.

–Seguro que se le quitan las ganas de tirarnos bolitas de tinta.

–Gaspard ¿tu madre te reñirá?

–¿Mi madre? Mi madre nunca me riñe. Mi padre, sí. Pero casi nunca está en casa, por su trabajo. Excepto cuando tiene días de descanso, y entonces... ¡Cuando está en casa, eso sí que se nota! Pero una mancha en la camiseta le da igual. Sólo le interesan mis notas.

–Pues mi madre se pondrá a gruñir. Sobre todo ahora que mi padre ha perdido el trabajo; además, acababa de estrenar el jersey.

–Cuando veas la cara de Jean-Pierre destrozada por completo te tranquilizarás.

–Yo, puede ser; pero mi madre...

–¡Cuidado, ya llega! Estoy viendo cómo cruza la calle. Vale, vale, le vamos a montar la fiesta a ese gran cretino. Nunca he soportado al tal Jean-Pierre. Mide veinte centímetros más que los otros, y se cree que eso le da derecho a mandar en todo. Va a pagar por todos los golpes que ha dado desde que iba a la guardería.

No tiene ni idea de cálculo mental, pero yo sí que sé hacer una suma.

¡Vaya, aquí está! Mira qué cara de imbécil...
Las manos en los bolsillos... Déjalas, no tendrás tiempo
ni de sacarlas.
–¡Venga, vamos!
¡Vamos! ¡Toma ésta, en toda la cara!
¡Y ésta!
¡Y una patada en el sitio correcto! ¿Qué? ¿Duele, eh? ¡Bravo,
Julien! ¡En medio del careto! Ni siquiera ha abierto la boca,
el Jean-Pierre. No ha tenido ni tiempo...
¡Ah! ¡Eso sí que no! ¡No vamos a dejar que se vaya así!
–¡Atrapadlo! ¡Atrapadlo!

Corre a toda velocidad. No importa. Ya ha tenido su lección.
¡Ostras! Se ha roto mi capucha... A lo mejor, en esto papá sí
que se mete.
Ya me las apañaré con mamá. Me lo arreglará antes de que
él vuelva. De todos modos, no llegará antes de tres días, le
dará tiempo a... Ella me ayudará... Se lo explicaré...
–Gaspard, mira a esa buena mujer con esos racimos de
uvas...
–Tengo un agujerito en el estómago, hoy no he tomado mi
merienda de las cuatro.
–¿La rodeamos y le quitamos la bolsa? ¿Ok?
–Vamos a divertirnos.
–¡Rápido!
–¡Tenemos hambre, señora!
–Pero... pero... ¡Pandilla de golfos! ¡Devolvédmela!
¡Al ladrón!
–¡Corre! ¡Corre!
–¡Imposible que nos pille! ¡Tiene cien años, por lo menos!

CAPÍTULO 7

AMINATA
O EL SILENCIO DEL PÁNICO

–Elsa, acompáñame. Si estás conmigo, no se atreverán
a atacarnos.

–¡Estás de broma! ¿Cuántos eran?

–Creo que tres, pero puede que sean más. No he tenido
tiempo de contarlos.

–¿Son del instituto?

–¡No, ya te lo he dicho! Tienen por lo menos 17 años,
son tan grandes como el hermano mayor de Sophie.

–¿Y si hablamos con Sophie para que le pida a su hermano
que nos acompañe?

–¡No! ¡No podemos decírselo! Si se lo digo a alguien,
me matarán. Me lo han dicho.

–¿Cuánto te han pedido para esta noche?

–Veinte euros.

–Tendrías que habérselo contado a tu madre. Ella habría venido a buscarte...

–¿No crees que ya tiene demasiados problemas por mi culpa? Todo le da miedo... Que tenga malas notas... Se pone enferma cada vez que tengo un examen. Además, ella nunca llega antes de las ocho y media.

–Entonces, ¿qué hacemos? Ya hace dos horas que estamos escondidas en el pasillo. Mi madre se va a preocupar. Sabe que los martes salgo a las tres.

–A lo mejor viene a buscarte. Si nos vamos con ella, no se atreverán a...

–¡Peligro! ¡La vigilanta!

–Señoritas ¿qué hacen ustedes en este pasillo? ¿De qué clase son?

– De primero B.

–¿Y todavía están aquí? Vuestras clases han terminado hace mucho ¿no?

–Es porque Aminata...

–¡Cállate, Elsa!

–¿Qué? ¡Hablad! ¿Qué está pasando?

–Ayer, a la salida, tres mayores rodearon a Aminata. Le exigieron que robara veinte euros a su madre y que se los diera. Si no, la matarán.

–¡Nada de eso! Aminata ¿se lo has contado a tu mamá?

–¡No! Me matarían... Había uno que tenía una navaja.

–No llores. Vamos a contárselo todo al señor director.

–¡No hace falta que le digamos nada a mi madre! Ella ya tiene bastantes dolores de cabeza...

–No te preocupes.

No, no, no quiero ir al despacho del director. ¡Cuando se entere mamá! Por supuesto que van a contárselo.

¿Por qué se mete en esto, la buena mujer?

Se va a montar una... ¡Y los tres tipos van a matarme!

Nadie los ha pillado nunca, ni siquiera la policía.
El mayor, el de la navaja, ya lo ha dicho.
¿Por qué grita el director? Desde aquí no se entiende
nada. Debe de estar muy enfadado... Seguro que es por
mi culpa... No hago más que dar problemas a todo el
mundo.
¡Atención, ahí están, ya se abre la puerta! El director...
Ah, sí, ya me acuerdo... Es aquel que, el primer día de
clase, vino a explicarnos la vida en sociedad.

41

Llegar puntuales, no empujarse en los pasillos...
Su discurso fue largo... Pero no ha servido para nada...

–¿Quién de vosotras dos ha sido agredida?

–Yo, señor.

–¿Sabrías reconocer a tus agresores?

–No... Uno tenía una navaja. No lo he visto bien. Sólo veía la navaja.

–¡Qué tiempos estos! ¡No puedo poner a un policía detrás de cada alumno! Y yo no puedo llevarte a tu casa con mi coche, por problemas del seguro. Hay que llamar a tu mamá.

–No llega hasta las ocho y media.

–¿Y tu papá?

–Trabaja lejos. Sólo viene una vez al mes. Quizá mis tíos, que viven justo al lado de nuestra casa, podrían venir a buscarme...

CAPÍTULO 8

JEAN-PIERRE
O LA ESPIRAL DE LA VIOLENCIA

¡Me las pagarán! Voy a llamar a Kévin. ¡Él y sus amigos les darán una buena paliza!

Sobre todo a Gaspard. A ver si le enseñamos a hacer de jefe. No es demasiado fuerte para ello. Yo machacaré a ese tipo, mientras los otros se ocupan de Jo, Loïc y Ali.

Eran cinco. ¿Quién era el quinto?

No he tenido tiempo de verlo... Seguramente, el microbio de Victor.

Está tan asustado que siempre va pegado a ellos...

¡Jo! ¿No hay nadie en casa de Kévin? ¿Dónde estará? Dando vueltas por el centro comercial con sus colegas, seguro. Me gustaría ir... Pero, si mi padre llama y no estoy en casa, me espera una buena. ¿Voy al centro?

¿O me quedo a ver la tele? A estas horas, sólo ponen concursos. Me dan dolor de cabeza con tantas preguntas.

Mamá no llegará antes de las ocho, ocho y media; papá, no antes de las nueve...

Tengo suficiente tiempo para ir al centro comercial...

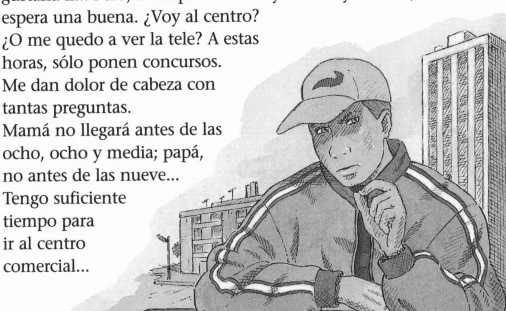

Llamo a mamá y le digo que voy a la biblio a buscar libros para hacer un trabajo.

Ella nunca hace preguntas como las de papá, del tipo: «¿sobre qué tema?, ¿cuándo lo tienes que entregar?, ¿para qué profesor?».

¡Cuando llego del insti, me altera los nervios con sus preguntas ¿Por qué le ha dado por agobiarme con el paro y los títulos? ¡Qué idiotez! No se entera de nada. También los que tienen títulos están en el paro. Entonces ¿para qué vas a calentarte la cabeza? De todas formas, no puedo imaginarme trabajando desde las siete de la mañana hasta las nueve de la noche, sin vacaciones, sin nada... Si se cree que voy a hacer lo mismo que él...

Para mamá, lo más importante es que yo sea feliz. No acabo de entender cómo se puede ser feliz cuando se está en el paro, pero ella no se lo cuestiona. Quizá esa sea su forma de decirme que si me pasa cualquier cosa a ella le importa un pito. ¡Menos mal que tengo a Kévin! ¿Dónde voy a encontrarlos? Normalmente están cerca de la zona verde del centro comercial.

Antes, allí había flores. Pero con sus amigos siempre va un perro que se mea dentro. Entonces, claro, las flores...

¡Mira, allí están!

–¡Eh! ¡Kévin!

–¡Jean-Pierre! ¿Hoy no te ha encerrado tu padre?

–Él no me ha encerrado nunca. Simplemente, no le gusta verme callejeando...

–Mejor que vuelvas a tu casa o te castigará.

Cuando Kévin está con sus colegas cambia por completo. En el instituto es simpático, pero delante de ellos me trata como a un crío. Sin embargo, sus colegas ni siquiera me han visto, están completamente idos. Así que tampoco vale la pena exagerar.

Me las apañaré yo solo...

–¡Pero no, Jean-Pierre! Quédate, sólo era una broma.

–¿Qué les pasa a tus colegas? Están muy raros.

–Acaban de hacerse un canuto.

–¿Un canuto? ¿Qué es un canuto?

–Droga. Eres demasiado joven para entenderlo. Bueno, ¿qué quieres?

–¿Conoces a la banda de Gaspard, el de primero? Han intentado atacarme.

–¿Esos microbios? Les habrás dado una paliza...

–Es que... ellos eran un montón y yo estaba sólo.

–¡Ah, ya! Entonces, ¿te han pegado a ti? ¿Quieres que les enseñemos quién manda aquí?

–Sí. Pero no parece que tus colegas estén muy en forma.

–No te preocupes. Mañana, ya estarán despiertos. ¿A qué hora terminas las clases?

–A las cinco.

–Allí estaremos. Ahora vete a tu casa, antes de que tu padre se ponga nerviosito.

CAPÍTULO 9

GASPARD
O LAS FRONTERAS DE LO REAL

Así son las chicas: no saben lo que quieren. Hace un año que Elsa me da la lata con el tema de mi banda, y ¡ahora quiere que vayamos a atacar a tres tipos armados!
¡Está soñando!
¿Qué podemos hacer, incluso siendo cinco, contra las navajas? Podríamos tenderles una emboscada como en la película que pusieron el otro día en la tele. El bueno estaba solo, y los malos eran por lo menos diez. Los vigiló durante días y días, y cuando ya sabía bien cuáles eran sus costumbres, se los fue cargando uno tras otro. Uno tras otro: ¡Bang! ¡Bang! ¡Bang!...
Pero el bueno no tenía examen de mates y podía salir por la noche para perseguir a sus enemigos...
Aminata podría pedir ayuda a su tío. Él es vigilante en el centro comercial, seguro que tiene un arma.
Y mide casi dos metros, así que los adolescentes no le dan ningún miedo, ya está acostumbrado...

¿Y si Aminata robara su arma y después me la trajera? Con una pistola de guardia de seguridad, yo no tengo miedo. Salgo del colegio con Aminata, pero dejo que camine un poco más adelante y, cuando los tres tipos la rodeen, llego por detrás y me los cargo uno tras otro... ¡Bang! ¡Bang! ¡Bang!

¡Como en la tele! Y los polis me detendrían, pero, además, luego me soltarían disculpándose. ¡Legítima defensa! ¡Sería el héroe del colegio! Ni siquiera los mayores me empujarían más en el pasillo, contra el muro.

Sí, ésta es la mejor idea: que Aminata le quite a su tío la pistola. Ahora ella debe de estar en el Centro de Información, su tío no puede venir a buscarla antes de las seis. ¡Exactamente! Aquí está.

–Aminata, tengo un plan.

–Si es el plan de Elsa, ya te digo que es un mal plan.

–¿Por qué? ¡Habría que verlo! ¡Tú ni siquiera lo conoces!

–Lo dudo; pero va, dímelo.

–Tú le quitas la pistola a tu tío. Y yo llego por detrás y...

–¡Para! ¿Estás loco? ¿No te das cuenta de que las bandas que se atacan las unas a las otras se creen que están en plena guerra? Mis padres se fueron de su país por culpa de la guerra. ¿Sabes qué es una guerra? Estrangulan a las mujeres, los niños, los bebés...

–Pero es Elsa la que...

–Elsa, no yo. Yo no estoy de acuerdo. El director se lo ha dicho a mi tío: los delincuentes son asunto de la policía. Los atrapan, los ponen ante la justicia, y los jueces deciden si hay que castigarlos y cómo. Si todas las bandas aplican la justicia por su cuenta, es la guerra.

–Como tía, eres bastante rara. Antes tú no decías esas cosas.

–Pero después he hablado con mi madre, con el director, con mi tío. Y te voy a decir un secreto: el arma de mi tío es un arma falsa. O no funciona, no he comprendido la explicación. En cualquier caso, cuando en el centro comercial hay un problema, él habla con la gente y, tranquilamente, los saca afuera si están drogados o se ponen violentos. Pero nunca utilizar su arma. Él ha visto qué es lo que pasa con un arma de verdad. Y cuando es de verdad, no se parece en nada a lo que pasa en la tele.
–¡Ya! ¿Entonces por qué me ha pedido Elsa que te proteja?
–Porque ella cree que está en una película, igual que tú.
–Me estás contando historias. Apáñatelas tú sola.
–Yo no estoy sola. El director me lo ha dicho. Mamá y mi tío, también. A quien no entiendo es a ti. ¿No eres capaz de pensar fuera de la clase de mates? ¿O qué?
–¿Qué? Las mates son como un juego. Como el fútbol.
–El instituto también, y normalmente hay unas reglas. Como en el fútbol.
–Pero todo el mundo se las salta. Bueno, hasta luego. ¡Las chicas! ¡Me vuelven loco!

¡Una me viene a pedir que proteja a su amiga, y su amiga me habla como si yo fuera idiota!

A todo esto, Jo ya hace rato que se ha ido; Loïc también, y a mí me tocará ir solo hasta casa.

¡Qué palo! ¡Anda, yo conozco a esos tipos...!

La banda de Kévin. ¿Qué están esperando? ¿A Aminata? ¡Segurísimo!

¿Así que son ellos quienes la han atacado? Parece que necesitan mucho dinero para poder comprar esas porquerías que los están matando...

¿Cómo?

Pero ¿qué quieren de mí? ¿Por qué se me acercan?

¿Qué está diciendo éste?

¿Jean-Pierre? ¿Qué Jean-Pierre?

–Bueno ¿qué pasa? ¡Uf!

–¿Qué? ¿Quieres jugar a los justicieros, mocoso?

¿Yo? Pero, es que... ¿Están locos? Correr... Correr... ¿Qué? ¿Qué? ¿Qué he hecho yo? ¡Soltadme!

–Ven por aquí, vamos a explicarte unas cositas...

–¡Socorro!

–¿Vas a cerrar la boca? ¡Toma, esto te calmará!

¡Mi madre! Todo da vueltas... Los árboles... ¿Qué me está pasando?

¿Me estoy desmayando? No veo nada... se apaga la luz... ¿Quién ha apagado la luz?

CAPÍTULO 10

JEAN-PIERRE O EL RECHAZO
DE LAS RESPONSABILIDADES

¡Qué mierda! Yo no estaba, así que... ¿cómo se ha enterado
la policía de que Kévin...?
Algún idiota lo ha denunciado.
¿Quién puede ser?
Si me lo encuentro...
–¿Sí, señor?
–Acabo de hacerte una pregunta.
–¿Sí?
–Jean-Pierre ¿me puedes explicar qué esperas de las clases?
Nunca escuchas nada de lo que se dice. ¿Sabes que hay
hombres y mujeres que han luchado,
a veces hasta la muerte, para que la
escuela sea accesible para todos los
niños sin excepción alguna?
Y a mí qué me importa. ¡Este
tipo empieza a tocarme la
moral! ¿Qué me está
contando con sus
muertos? ¡Si están
muertos, mejor para
ellos! Yo me he
quitado de
encima a
Gaspard.

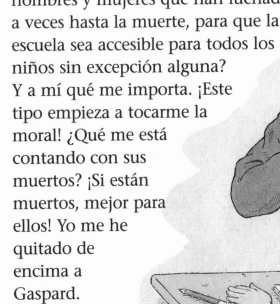

Tres semanas de hospital...

¡Menuda paliza han debido darle! Destrozado por todas partes: ¡bien hecho!

Pero el problema es Kévin. Si empieza a contar toda la historia a la policía, estoy en un lío.

–¿Cómo?

–Repito, Jean-Pierre, antes de ponerte dos horas de castigo para que aprendas a estar atento: ¿qué es un paralelogramo?

Ya me puedes poner tus horitas de castigo. De todos modos, no pienso hacerlas...

Me voy a largar. Estoy harto de todo esto.

Personas que desaparecen; eso se ve todos los días en los periódicos. Y para encontrarlas...

No más profes, no más cole, genial...

Yo me largo antes de que Kévin se lo cuente todo a la policía...

¡La policía! ¡Y papá! Con mis notas ya está a punto de explotar... Se va a volver loco de verdad si se entera de que...

¡No! ¡Imposible! ¡Esta vez sí que voy a recibir una buena paliza!

¡No!

¡No, y no!

No estoy dispuesto a que me den una paliza. ¡Me voy! Desaparezco...

¡Paso por casa, pongo mis cosas en una bolsa y adiós a todo el mundo!

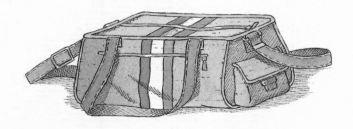

CAPÍTULO 11

AMINATA
O EL REENCUENTRO CON LA PALABRA

Los alumnos nunca van a hablar con el director.
Siempre es el director quien pide a los alumnos que vayan a
su despacho, nunca al revés...
Pero él no es como la directora de la escuela primaria.
Él te escucha cuando le hablas...
Me ha escuchado. Ha escuchado a mi tío...
Cuando le estás hablando, parece que tenga todo el tiempo
del mundo; sin embargo, está muy ocupado...
¡No, yo no tengo miedo al director!
¡Pero a su secretaria, sí!
¡Con esas gafas de cegata!
–¿Qué quieres, nena?
–Hablar con el director.
–¡Ah! ¿Y de qué quieres hablar
con el director?
–¡Hummm! Es algo personal.
–¡Ah! ¿No me lo puedes
decir? ¿Cómo te llamas?
¿En qué clase estás?
–Aminata M'Boubolaré.
Primero B.
–Bueno. Voy a ver
si está libre.

Si está en el despacho de al lado ¿por qué lo llama por teléfono? ¡Qué extraño! ¡Ah! Está hablando... ¿Está ahí?

–Puedes pasar, Aminata. Empujas esta puerta...

¡Esta puerta pesa un poco! Más fuerte... ¡Qué cobarde soy! ¡Elsa tiene razón! ¿Cómo olvidar el miedo cuando se tiene miedo todo el tiempo, toda la vida?

–¡Buenos días, Aminata!

–Buesdíassñor...

–Puedes articular, eso no consume más oxígeno. Siéntate. ¿Qué quieres decirme?

–Pues... tengo un plan para acabar con estas amenazas. No puede haber policías por todas partes, de acuerdo. Y mi tío me ha venido a buscar durante una semana; pero, si continúa haciéndolo, su jefe se enfadará. Por eso, creo que lo que tendríamos que hacer es salir todos juntos y que los mayores acompañen a los pequeños hasta sus casas.

–¡Ah...! Quizá sea una buena idea, pero imposible de llevar a cabo. Los horarios están hechos para que ningún grupo salga a la misma hora y así se eviten los empujones.

–Pero, de todos modos, los martes salimos a la misma hora que los de tercero E. Estoy segura: el hermano de Sophie va a tercero E.

–Pues bien, pídele al hermano de Sophie que te acompañe.

–Pero si sólo se lo pido yo, se burlará de mí. Se creerá que... Y, además, hay otros en primero que tienen miedo; sobre todo después de que a Gaspard le dieran una paliza tan grande que aún sigue en el hospital. Todos los de primero tienen miedo. Es horrible tener miedo todo el tiempo. Es imposible pensar en otra cosa.

–Tienes razón, no se puede vivir constantemente con el miedo. Necesito reflexionar...

–Pero no demasiado tiempo. Es ahora cuando hay que hacer algo. Hoy. O mañana, pero no mucho más tarde.

–Tranquila. Tú dices que los grandes tienen que acompañar a los pequeños. ¿Cómo vamos a organizar todo eso?

–Yo puedo ayudarle, si usted quiere.

–Eres muy buena chica, Aminata, pero hacer todo un horario es algo complicado. Yo mismo me pierdo; así que ¿te imaginas...?

–A lo mejor, cada uno de primero se tendría que buscar a uno de tercero para que lo acompañe. Y también podría ayudarlo a hacer los deberes, a estudiar las lecciones...

–No hay tantos alumnos en tercero como en primero... Quizá se tendrían que hacer grupos: cinco de primero por tres de tercero...

–Y ¿qué importa que sean tres o cinco o dos?

–Es un trabajo de organización...

–Pero resulta imposible vivir con el miedo...

CAPÍTULO 12

JEAN-PIERRE
O LA HUIDA HACIA DELANTE

¿Qué toca esta mañana? ¿Inglés? Jamás me aprenderé este horario. ¡Levantarse para ir a inglés! No entiendo nada de lo que esa vaca burra balbucea. ¡Sólo de pensar en su cara me agobio! Sin hablar de la cara de Kévin...

Pero ¿qué se ha creído ese tío? ¿Cómo iba a decirle a la policía que fui yo quien le pidió que golpeara a Gaspard? ¿Está loco, o qué? Además, en el centro comercial, sus amigos ni siquiera me vieron... ¡Ninguna prueba!

¡Menos mal que la policía ha avisado a papá antes, y ha venido conmigo! ¡Les ha dicho que yo no necesitaba a nadie para hacerme respetar! Y cuando han visto mi estatura, enseguida han comprendido que Kévin les contaba películas... No, no se atreverá a tocarme ni un pelo, lo tienen demasiado fichado...

Pero me la tiene jurada.

Y ¿si le importa un bledo que lo tengan fichado? No tiene nada que perder. Esta noche, él y sus colegas me pueden destrozar... Llevaré la pistola de papá. Sólo para impresionarlos. Ya me las apañaré para enseñársela a Kévin cuando salgamos del comedor.

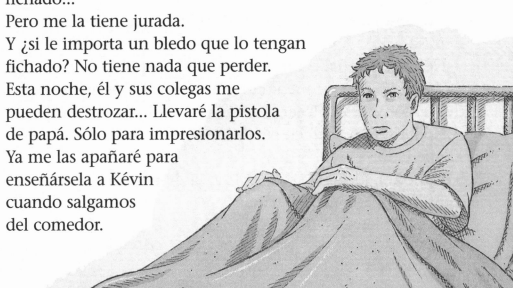

Le entrará miedo y les dirá a los otros que lo dejen estar...
¡Es una buena idea!

¿Dónde la habrá puesto papá?

Antes la tenía en el cajón del escritorio, pero la cambió de sitio cuando me vio...

A lo mejor... ¿en sus estanterías?

O puede que en su habitación... ¿En el armario?

Me extrañaría que mamá soportara una pistola en su vestuario... ¡En el cajón de su mesilla de noche! ¡Hurra! ¡La encontré!

¡Guauu! ¡Las nueve menos cinco! Voy a llegar tarde. Me tocará correr.

Esconderé la pistola en el fondo de la cartera. Sólo faltaría que alguien mire y la vea.

¡El numerito con la profe! ¡Más rápido! ¡Más rápido! Con un poco de suerte llego justo cuando cierran las rejas.

¡Uf! ¡Guay! Pero los otros ya han subido... Pasar por el despacho, recoger el parte de retraso... Da igual, me voy directo a clase; que diga lo que le dé la gana, la vaca burra.

–¡Otra vez tarde, Jean-Pierre Bertrand! ¿Tiene usted un parte?

–No.

–¡No, señora! Baje al despacho y tráigame un parte de retraso.

–¡No vale la pena! ¡Aún perderé más tiempo!

–Cuando haya comprendido que una de las primeras reglas consiste en llegar puntual, no perderá más tiempo.

–¡No ha sido por mi culpa! ¡Mi madre no me ha despertado!

–A su edad, ¡debería saber utilizar el despertador! Vaya a buscar un parte al despacho.

–¡No, no pienso ir!

–Sí, sí que irá.

–¡Que te den, vieja!

–¿Perdón? Jean-Pierre Bertrand, levántese inmediatamente de esa silla y vaya al despacho. ¡No es necesario que abra su cartera! ¡No quiero verle más en mi clase!

–Ni yo tampoco, ¡estoy tan harto de verte que voy a pegarte un tiro!

¡Me duelen los oídos! ¡Mis oídos! Este olor a quemado...
¿Qué hace en el suelo, la otra?

¿Muerta?

¿Por qué me miran todos con esa cara? ¿Qué tengo?

Esto apesta... ¿este olor viene de la pistola?

¿Estaba cargada?

Pero ¿por qué gritan? ¿Dónde van? Y la otra zorra, en el suelo... ¿La he matado?

¡Era una broma! ¡Sólo era para asustarla! ¡Ni siquiera hay sangre! Se ha desmayado... ¿Qué hace ahí el director?

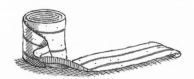

CAPÍTULO 13

GASPARD
O EL DELITO DE INOCENCIA

–¿Sí? ¿Diga? ¿Sí? No oigo bien. ¿Qué? Espera, espera, Loïc, ¡no me lo puedo creer! ¿La profe de inglés? ¿En qué piso está?

–En el tercero, justo encima de ti. En recepción no nos han dejado pasar. Nos han dicho que, durante algunas semanas, prefiere no ver a ningún alumno. Tiene que descansar. ¿Entiendes? Está en *shock*.

–Le voy a pedir a mamá que compre un ramo de flores. Iré a llevárselo...

–¿Sabes, Gaspard? Creo que las flores le traen sin cuidado...

–Bueno, siempre gustan...

–Pero ¿no te das cuenta o qué? Todo el mundo habla de esta historia, ¡incluso en la tele! Un alumno lleva una pistola a clase y dispara a su profesora. ¿Y tú te crees que eso se arregla con unas flores? ¡Eres la bomba, tío! ¡Eres igual que Jo! Con tanta película *gore*, ¡se cree que la sangre de verdad es un efecto especial!

–¿Por qué te enfadas, Loïc? ¡Yo nunca veo las películas *gore* y no estoy metido en esta historia!

–Claro que sí. Todos estamos metidos.

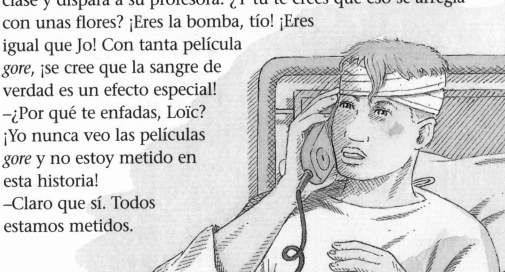

–¡Qué dices! ¿Tú estás loco?

–Estas historias de bandas, peleas, chantajes... ¡siempre terminan mal!

–¡Yo nunca le he robado a nadie!

–¡Anda ya! Si yo estaba contigo cuando le quitamos la bolsa de uvas a la tía esa.

–¡Yo no era el único que estaba allí!

–Eso es lo que te estoy diciendo. Estábamos todos. Todos estamos en la historia de Jean-Pierre. Y te voy a decir algo: de la banda y de todo lo demás no quiero ni oír hablar.

–De todos modos, podemos seguir siendo amigos...

–Ya no tengo ganas de nada. ¿Has visto a Aminata?

–No. ¿Por qué? ¿Va a venir?

–Quiere verte. Y pienso que no deberías decirle que tú no tienes nada que ver en esta historia.

–¡Esa loca no me da miedo!

–Gaspard, ¿por qué eres incapaz de pensar fuera de la clase de mates?

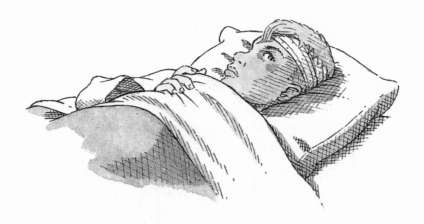

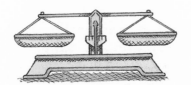

CAPÍTULO **14**

AMINATA
O EL DESCUBRIMIENTO DEL DERECHO

–Aminata, ¿no te parece que se está muy bien al sol? ¿De qué te ríes?

–No sé. Que usted hable del sol...

–¿Crees que un director de colegio no tiene derecho a disfrutar del sol?

–No, no es eso... Puede que esté cansada. Todas esas reuniones han durado mucho tiempo...

–Pero ha valido la pena que las hiciéramos juntos y con la señora Le Garrec. La administración, el profesorado, los alumnos...

–Sí, era necesario que habláramos. Pero tendríamos que haber hecho que vinieran los padres. Además, el padre de Gaspard...

–Ha venido a verme. Hemos hablado durante bastante rato. De su hijo, de la banda... Yo creo que Gaspard tendrá que pasar mucho tiempo reflexionando con su padre. En todo caso, su padre no parará hasta que haya aclarado todas las cosas... Aunque los padres no trabajan en el centro. No es

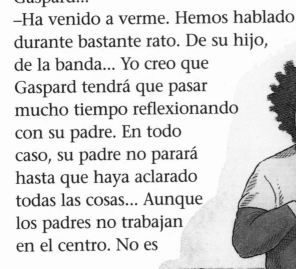

aquí donde pasan la mayor parte del tiempo, como nosotros...

–Pero de algún modo también están aquí: en las cabezas de sus hijos. La prueba está en que quien tenía el arma en su casa era el padre de Jean-Pierre... Debería estar prohibido...

–Eso ya está muy legislado. Pero jamás podrás impedir que se trafique.

–Yo creo que se tendrían que prohibir todas las armas.

–Es un bonito sueño, pero no se cumplirá de la noche a la mañana. Y nuestro problema en concreto no es ése. Entre los quinientos alumnos del colegio, ¿cuántos pueden encontrar un arma en su casa? Dos, máximo tres... Pero ¿por qué y en qué momento uno de ellos va a llevar ese arma al colegio? Esa es la pregunta... ¿Has visto a Gaspard?

–Sí. Continúa diciendo que Loïc y los demás de su banda son unos cobardes. Que han pasado de él...

–¿No han ido a verlo al hospital?

–Sí, todos los días. Han hecho turnos para pasarle todos los apuntes. Pero él piensa que si ya no tiene banda, ya no tiene amigos.

–Se puede tener una «banda de amigos», sin que por ello sea necesario que reine el terror...

–Él no comprende eso. La banda le daba todos los derechos. Echa de menos el tiempo en que los cinco creían ser los justicieros del mundo... ¿Cree usted que ahora respetarán el nuevo reglamento?

–Espero que sí. La mayoría de los alumnos sólo tiene un objetivo: estudiar en paz.

–Pero, si antes no lo respetaban, ¿por qué van a respetarlo ahora?

–Todo el mundo ha comprendido hasta dónde se puede llegar cuando no importa quién sea el que hace reinar su ley. Y se ha discutido bastante sobre las reglas que se deben

respetar. Reglas para todos, aceptadas por todos. Aunque se tendrán que recordar, una y otra vez.

–A mí me gustó el otro día, en el gimnasio. Cuando los pequeños eligieron a sus tutores entre los mayores. Fue divertido...

–¿Qué era lo divertido?

–Nos mirábamos todos. Los grandes nos miraban. Estoy segura de que antes nunca nos habían mirado de verdad, sino como unas sombras a las que se empuja en el pasillo.

–Aminata, ha sido gracias a ti. Yo tampoco; yo nunca os había mirado de verdad. En todo caso, no como a personas capaces de pensar. ¿Te ríes?

–¿No le parece un poco raro que lo más difícil en la escuela no sean las clases, sino el mirarse los unos a los otros?

VENCER LA VIOLENCIA

En cuatro años los actos delictivos de menores pasaron de 95.000 a 154.000. Éstos son los hechos, no neguemos esta inquietante progresión, menos aún cuando los autores, cada vez más jóvenes, a menudo actúan de forma colectiva.

Pero no se trata de aceptar la fatalidad de esta decadencia: este libro ayudará a los jóvenes a elaborar su reflexión y a poner el destino en sus manos. La escuela se convierte en el instrumento principal de la igualdad de oportunidades y de la solidaridad. Espejo de nuestra sociedad, no escapa de sus deberes. Cada día se enfrenta a múltiples problemas de socialización y formación del niño ciudadano, ya que el alumno a menudo encuentra en la escuela violencia, miedo, amenazas o relaciones de fuerza. Sabiendo todo eso, debemos enfrentarnos a ello y respaldar a los profesores en su tarea educativa.

Fortalezcamos la imagen de adultos que afrontan las realidades respetando las reglas de la ciudadanía. Recordemos a los padres que ellos ocupan un lugar absolutamente irremplazable.

La política ciudadana también debe apoyar estas orientaciones, posibilitando el diálogo, la prevención, la ayuda a proyectos educativos: en nuestros barrios hay experiencias concretas que se desarrollan para vencer el miedo, prevenir la violencia, combatir el racismo.

Superemos el inmenso reto de estos desafíos que conlleva la sociedad, busquemos también caminos eficaces para afrontarlos con coraje y confianza en este nuevo milenio.

La calidad de nuestra democracia tiene este precio.

JEAN-PIERRE BALDUYCK
Diputado–alcalde de Tourcoing
Colaborador de la misión interministerial
sobre la prevención y el tratamiento
de la delincuencia de los menores de Francia

ARGENTINA

FUNDACIÓN SES (SUSTENTABILIDAD-EDUCACIÓN-SOLIDARIDAD)
Fundación dedicada a la promoción y el desarrollo de distintas estrategias
tendentes a la inclusión de los adolescentes y jóvenes con menos oportunidades

Vuelta de Obligado 2667
CP (C1428ADQ)
Buenos Aires
Teléfono:(54-11) 4896-1921
Fax: (54-11) 4896-1920
E-mail: info@fundses.org.ar
http: www.fundses.org.ar

BRASIL

FUNDAÇAO ABRINQ
Fundación dirigida a los adolescentes en Brasil

Rua Lisboa, 224
Jardim América
05413-000 Sao Pâulo-SP
Brasil
Teléfono / Fax: (55-11) 3081 0699
E-mail: info@fundabrinq.org.br
http: www.fundabrinq.org.br

CHILE

INSTITUTO DE MEDITACIÓN TRASCENDENTAL
Instituto que auspicia un programa titulado «Fin a la violencia escolar»

Edificio Studio II – Napoleón 3565 Ofic. 607
Las Condes – Santiago de Chile
Teléfono: (56-2) 315 5540
Fax: (56-2) 315 5540
E-mail: info@violenciaescolar.org
http: www.maharishi.cl/noviolencia/

ESPAÑA

CENTRO DE PROFESORES Y RECURSOS DE LATINA-CARABANCHEL
Proyecto transnacional para la prevención de la violencia en las escuelas

http: //www.centros5.pntic.mec.es/cpr.de.la.latina.carabanchel/convivir/aport.html

CONSEJERÍA DE EDUCACIÓN Y CIENCIA DE ANDALUCÍA
Programa exhaustivo y educativo sobre la prevención
de maltrato entre compañeros y compañeras

http://montegrande.ucv.cl/conviven.pdf

ESTADOS UNIDOS

CENTER FOR THE PREVENTION OF SCHOOL VIOLENCE
Centro dedicado a la prevención de la violencia en las escuelas

1801 Mail Service Center
Raleigh, NC 27699-1801
Teléfonos: 800-299-6054
919-733-3388 ext 332
E-mail: jaclyn.myers@ncmail.net
http: www.ncdjjdp.org/cpsv

PERÚ

EDUCA
Instituto de fomento para una educación de calidad

c/ Luís N. Sáenz, 581
Lima – Perú
Teléfono: (51-1) 460 – 4604
Fax: (51-1) 463 – 4636
E-mail: postmast@educa.org.pe
http: www.educa.org.pe

CEDRO
Institución privada sin fines de lucro para promover
la educación e información sobre las drogas en los jóvenes

c/ Roca y Boloña, 271
San Antonio – Miraflores
Lima – 18 Perú
Teléfono: (51-1) 4466682 / 4467046
Fax: (51-1) 4460751
E-mail: postmaster@cedro.org.pe
http: www.cedro.org.pe

PUERTO RICO

CMP – COLEGIO DE MEDIACIÓN PROFESIONAL
Centro dedicado a los programas de resolución
de conflictos como antídoto a la violencia escolar

E-mail: Director@colegiomediacion.com
http: www.colegiomediacion.com/escolar.htm